Mae'r llyfr hwn yn perthyn i

Fi

. . . .

. . . .

Darllenwch y rysêt yn ofalus. Gwnewch yn siwr fod popeth gennych chi.

Golchwch eich pawennau cyn dechrau.

Gofynnwch i rywun mewn oed wneud y gwaith peryglus fel trín cyllyll miniog a phopty poeth.

Ceisiwch beidio â chael mêl yn sownd yn eich wisgas.

BYDD ANGEN:
175 gm yr un o flawd-codi, menyn neu farjarîn a siwgwr caster. 3 wy, 2 lond llwy fwrdd o laeth, jam ar gyfer eu llenwi.
Hufen-menyn:
50gm o fenyn a 50gm o siwgwr eisin.

TEISEN BEN-BLWYDD BABI ARTH

Gosodwch y popty ar 190° neu farc nwy 5. Irwch ddau dun teisen 18cm.

1: Curwch y menyn a'r siwgwr efo'i gilydd. Yn raddol ychwanegwch yr wyau at y cymysgedd.

2: Ychwanegwch y blawd a'i blygu i mewn.

3: Efo llwy rhowch y cymysgedd i mewn i'r tuniau teisen.

4: Craswch am 20 munud.

20 mun

5: Gadewch i'r teisennau oeri. Fe ddylen nhw fod yn springar o dan eich pawen.

6: Curwch y menyn a'r siwgwr eisin efo'i gilydd i wneud hufen-menyn.

7: Rhowch jam a hufen-menyn ar ben un deisen a rhowch y llall arni hi.

Cadwch dipyn o hufen-menyn i'w roi ar y top.

Gofalwch nad ydy eich cynffon yn mynd ar dân.

Defnyddiwch fenig popty wrth afael mewn pethau poeth.

Peidiwch â rhoi'ch trwyn yn syth yn y fowlen i flasu – defnyddiwch lwy lân.

Peidiwch ag anghofio'r golchi llestri.

BRECHDANAU

MAMI ARTH

BYDD ANGEN:
bara,
bwrdd torri,
menyn
llenwad o'ch
dewis
cyllell finiog
(i'w defnyddio
gan oedolyn).

1: Rhowch fenyn yn llyfn ar y bara.

2: Ychwanegwch y llenwad.

DYMA RAI SYNIADAU

caws a thomato

ciwcymer hufen salad a berw dŵr

menyn prysgnau a jam

banana a mêl

Tomato a dail basil

3: Torrwch bob un yn bedwar.

4: Gellwch ddefnyddio torrwr crwst i'w siapio'n ddiddorol.

5: Trefnwch nhw ar blât a bwytewch nhw efo creision a ffrwythau.

I Ramona a Lisa

Testun a lluniau hawlfraint © Jan Fearnley, 2001
Y cyhoeddiad Cymraeg © 2001 Dref Wen Cyf.

Mae Jan Fearnley wedi datgan ei hawl i gael ei hadnabod fel awdur y gwaith hwn
yn unol â Deddf Hawlfraint, Dyluniadau a Phatentau 1988.

Cyhoeddwyd gyntaf yn Saesneg 2001
gan Egmont Children's Books, adran o Egmont Holding Limited,
239 Kensington High Street, London W8 6SA
dan y teitl *Mr Wolf and the Three Bears*.
Cyhoeddwyd yn Gymraeg 2001 gan Wasg y Dref Wen,
28 Ffordd yr Eglwys, Yr Eglwys Newydd,
Caerdydd CF14 2EA
Ffôn 02920 617860.
Cedwir pob hawlfraint.

Argraffwyd yn Hong Kong.

Mr Blaidd
a'r
Tri Arth
Jan Fearnley

Addasiad gan Gwynne Williams

DREF WEN

R oedd hi'n ddiwrnod arbennig i Mr Blaidd.
Roedd wedi cyffroi am fod ei ffrindiau y
Tri Arth yn dod i gael te. Pen-blwydd Babi
Arth oedd hi ac roedd Mr Blaidd yn mynd i
wneud parti pen-blwydd ardderchog i bawb.

Roedd Mr Blaidd eisiau paratoi rhywbeth arbennig ar gyfer pob un o'i ffrindiau ac am fod cymaint i'w wneud, roedd Nain wedi cynnig dod i'w helpu.

"Rhaid i ni fod yn daclus a diogel yn y gegin pan fyddwn ni'n coginio," meddai Nain. "Gadewch i ni olchi ein pawennau cyn i ni ddechrau ac yna fe gawn ni hwyl."

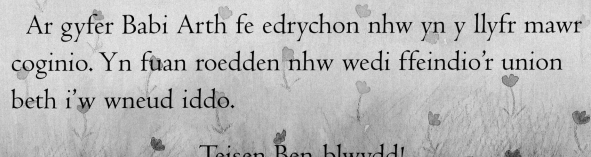

Ar gyfer Babi Arth fe edrychon nhw yn y llyfr mawr coginio. Yn fuan roedden nhw wedi ffeindio'r union beth i'w wneud iddo.

Teisen Ben-blwydd!

Wedyn fe feddylion nhw am Mami Arth.
"Dw i'n gwybod ei bod hi'n hoffi
brechdanau," dywedodd Mr Blaidd.
Fe gofiodd Nain fod rysêt yn ei
chylchgrawn.

Fe ddilynon nhw'r rysêt yn ofalus a thoc
roedd pentwr enfawr o frechdanau ar y
bwrdd yn barod am y parti.

Wedyn roedd hi'n bryd gwneud rhywbeth i Dadi Arth.
Fe gawson nhw lawer o syniadau allan o hoff raglen
Nain ar y teledu.

"Mae'r teisennau Hyff Pyff 'na'n
edrych yn flasus," meddai Mr Blaidd.
"Syniad da," meddai Nain.
"Gwell i ni wneud digon achos
mae e'n arth mawr."
Roedden nhw'n hawdd i'w
gwneud.

Yna tro Nain oedd hi i ddewis rhywbeth blasus. Ond doedd hi ddim yn gallu penderfynu beth roedd hi'n ei ffansïo.

Fe gafodd Mr Blaidd syniad da arall.

Fe helpodd Mr Blaidd Nain i chwilio ar y we am syniadau. Ar www.blaidd-barus.com fe welodd Nain rysêt roedd hi'n ei hoffi – Snipsnaps Caws!

Fe argraffon nhw'r rysêt a dechrau gweithio.

Roedd gan Mr Blaidd a Nain lawer i'w wneud cyn i'w ffrindiau gyrraedd.

Fe chwython nhw falŵns,

lapio anrheg Babi Arth,

gosod y bwrdd

a gwneud hetiau parti.

Fe osododd Nain flodau.

Wedyn fe dacluson nhw'r tŷ o'r top ...

i'r gwaelod.

Roedd yn edrych yn hyfryd.

"Barod!" meddai Mr Blaidd yn
union fel yr oedd cnoc ar y drws.

"Dewch i mewn! Croeso!" meddai Mr Blaidd.
"Pen-blwydd Hapus, Babi Arth!"

Ond fe ruthrodd rhywun i mewn o'u blaen nhw!

NIA BEN AUR!

"Gad i mi ddod i mewn, Mr Blaidd," gwaeddodd hi.
"Mae 'na ogla pethau blasus yma."
"Pam roeddech chi eisiau dod â hi?" fe sibrydodd
Mr Blaidd. "Mae hi'n creu helynt byth a hefyd."

"Fe ddilynodd hi ni drwy'r coed," meddai Dadi Arth. "Doedd dim y gallen ni ei wneud. Fe ddywedodd hi eich bod chi wedi gofyn iddi hi ddod hefyd."

"Wel, am gelwydd!" meddai Mr Blaidd.

"Peidiwch â bod yn gas! Gadewch i'r eneth ddod i mewn," galwodd Nain o'i chadair. "Ond rhaid i ti fyhafio, Nia Ben Aur," meddai hi gan rybuddio Nia.

"O-ce, o-ce!" meddai Nia Ben Aur gan ysgwyd ei chyrls. "Dw i'n addo!"

Ond cyn pen dim roedd Nia Ben Aur wedi anghofio
ei haddewid.

Wrth ddawnsio fe safodd hi ar droed Mr Blaidd ac
ni ddywedodd ei bod yn ddrwg ganddi.

Wrth chwarae pasio'r parsel fe dynnodd hi bob
tamaid o bapur i ffwrdd yn lle dim ond un ar y tro.

Wrth chwarae newid cadeiriau roedd Nia Ben Aur
yn rhy wyllt — ac fe dwyllodd!

Doedd Nain ddim yn chwarae. Fe eisteddodd hi'n
dawel yn ei chadair ei hun, fel y bydd neiniau, a
gwylio. "Dw i'n meddwl ei bod hi'n amser te," meddai
hi o'r diwedd. Ond …

… roedd rhywun wedi cyrraedd y bwrdd o'u blaen!

"Mae rhywun wedi cymryd brathiad o'r frechdan hon," meddai Dadi Arth.

"Mae rhywun wedi bod yn bwyta'r deisen yma hefyd," meddai Mami Arth.

"Ac mae rhywun wedi bwyta fy nheisen i bron i gyd," wylodd Babi Arth. "Mae hyn wastad yn digwydd i mi!"

"Mae'r bwyd yma'n ychi!" cwynodd Nia Ben Aur, a'i cheg
yn llawn. Roedd ei moesau bwrdd hi'n ofnadwy.

Druan o Mr Blaidd. "Mae fy mharti'n fethiant llwyr!"
sibrydodd.

Fe wenodd Nain ar Mr Blaidd ac fe gododd yn araf o'i
chadair. "Mae'n bryd cael gêm arall," meddai.

"Beth am chwarae mig?"
"Diflas!" meddai Nia Ben Aur.
"Dw i wastad yn ennill."
"Fe gawn ni weld,"
meddai Nain.

Fe redodd pawb i guddio.
Fe gyfrifodd Nain at gant.
"Dw i'n dod! Parod neu
beidio!" galwodd.

Fe gymerodd hi dipyn o amser . . .

. . . ond fe ffeindiodd hi bawb o'r diwedd . . .

. . . hynny ydy, pawb ond Nia Ben Aur.
Doedd hi ddim i'w gweld yn un man.

"Am eneth wyneb galed," meddai Mami Arth.
"Mae hi wedi difetha'n parti ni a nawr mae hi wedi mynd adre heb ddweud diolch."

"Dim ots," meddai Nain. "Mae gen i syrpreis bach i chi."

Fe ddiflannodd hi i'r gegin . . .

… a phan ddaeth hi'n ôl roedd hi'n cario pastai enfawr yn boeth o'r popty ac roedd crystyn euraid arni'n edrych fel pe byddai'n toddi yn eich ceg.

"Am Nain ardderchog!" chwarddodd pawb.

"Gadewch i ni lowcio'r bastai ar unwaith tra
mae'n boeth!" meddai Mr Blaidd.

"Na, ddim eto," meddai Nain. "Mae pastai fel
hon yn well ar ôl iddi hi oeri dipyn."

Ac fel yr oedden nhw i gyd yn aros i'r bastai
euraid oeri fe wenodd Nain ei gwên fach dawel
ac fe eisteddodd yn ôl yn ei chadair, fel y bydd
neiniau, i fwynhau gweddill y parti.

"Cadwch ddarn enfawr i mi," meddai hi,
"… darn enfawr, enfawr.
Dw i'n llwgu!"

HYFF PYFFS DADI ARTH

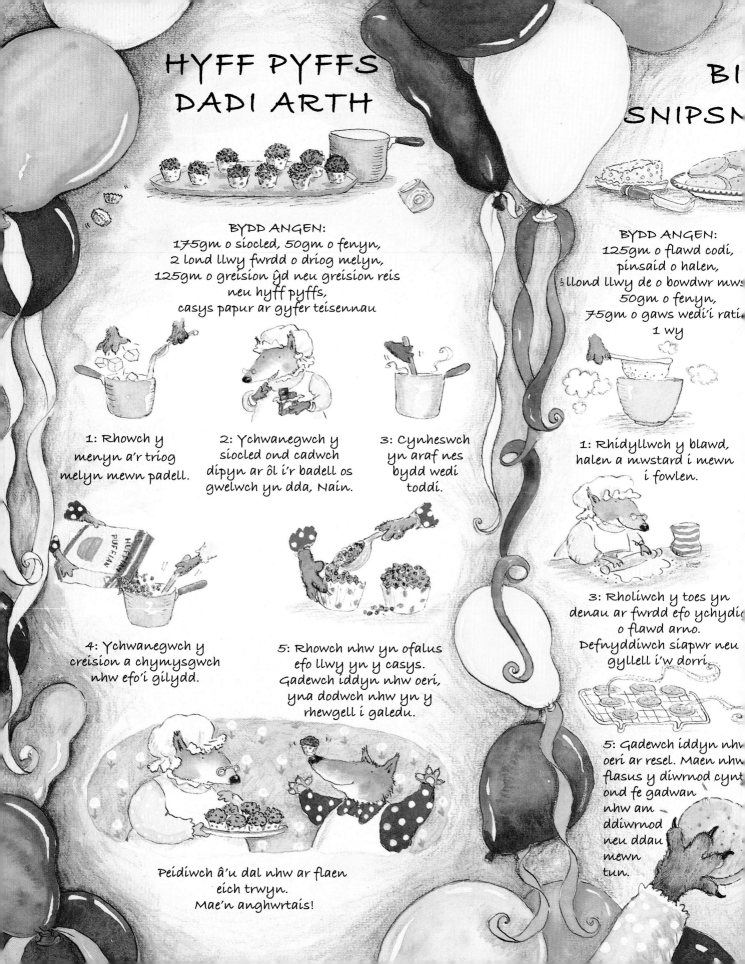

BYDD ANGEN:
175gm o siocled, 50gm o fenyn,
2 lond llwy fwrdd o driog melyn,
125gm o greision ŷd neu greision reis
neu hyff pyffs,
casys papur ar gyfer teisennau

1: Rhowch y menyn a'r triog melyn mewn padell.

2: Ychwanegwch y siocled ond cadwch dipyn ar ôl i'r badell os gwelwch yn dda, Nain.

3: Cynheswch yn araf nes bydd wedi toddi.

4: Ychwanegwch y creision a chymysgwch nhw efo'i gilydd.

5: Rhowch nhw yn ofalus efo llwy yn y casys. Gadewch iddyn nhw oeri, yna dodwch nhw yn y rhewgell i galedu.

Peidiwch â'u dal nhw ar flaen eich trwyn.
Mae'n anghwrtais!

BI SNIPSN

BYDD ANGEN:
125gm o flawd codi,
pinsaid o halen,
½ llond llwy de o bowdwr mws
50gm o fenyn,
75gm o gaws wedi'i rati
1 wy

1: Rhidyllwch y blawd, halen a mwstard i mewn i fowlen.

3: Rholiwch y toes yn denau ar fwrdd efo ychydig o flawd arno. Defnyddiwch siapwr neu gyllell i'w dorri.

5: Gadewch iddyn nhw oeri ar resel. Maen nhw flasus y diwrnod cynt ond fe gadwan nhw am ddiwrnod neu ddau mewn tun.

PASTAI AUR NAIN

AR GYFER Y CRYSTYN BYDD ANGEN:
100gm o flawd codi, pinsaid o halen ac ychydig o ddŵr, 50gm o fenyn, 1 wy.
Gosodwch y popty ar 220° neu farc nwy 7.

Gosodwch y popty ar 180° neu farc nwy 4.

: Cymysgwch i mewn caws a'r wy wedi'i guro i wneud toes.

1: Rhidyllwch y blawd i mewn i fowlen. Ychwanegwch giwbiau o fenyn.

2: Rhwbiwch y cyfan â'ch pawennau nes bydd yn debyg i friwsion bara.

3: Ychwanegwch binsaid o halen ac ychydig o ddŵr. Cymysgwch nes ei fod yn does.

4: Gosodwch y bisgedi ar dun wedi'i iro a choginiwch nhw am 10-15 munud.

4: Rholiwch hanner y toes a'i osod dros fowlen bastai wedi'i hiro.

5: Paentiwch yr ymylon efo wy wedi'i guro i'w selio.

6: Ychwanegwch rywbeth rydych chi'n ei hoffi i'w lenwi. Rholiwch hanner arall y toes a'i roi ar y top.

7: Gwasgwch o gwmpas yr ymyl i'w selio. Gwnewch dyllau yn y top. Torrwch yr ymylon yn daclus a brwsiwch efo'r wy i'w droi'n aur.

8: Coginiwch am 20 i 25 munud nes bydd yn euraid.

6: Ond efallai y byddwch am eu llowcio nhw ar unwaith.

RHAI SYNIADAU AR GYFER EI LLENWI Caws a Nionod 100gm o gaws wedi'i ratio, ychydig o datws wedi'u coginio.

1 nionyn wedi'i ffrio'n ysgafn, pinsaid o bupur, pinsaid o deim, 1 wy. Cymysgwch y cyfan a'i roi yn y bastai.

Un Bachgen Di-ddweud.

Un Eneth Ddrwg.

O, Nain! Dydych chi ddim o ddifri? Ydych chi?